READING POWER
En Español

> ## Organizaciones de ayuda

ASPCA
Sociedad Protectora de Animales

Anastasia Suen

The Rosen Publishing Group's
Editorial Buenas Letras™
New York

Published in 2003 by The Rosen Publishing Group, Inc.
29 East 21st Street, New York, NY 10010

First Edition in Spanish 2003
First Edition in English 2002

Book Design: Michelle Innes

Photo Credits: Cover, pp. 4–7, 14, 16, 19 © ASPCA; pp. 8, 15 © Hulton-Deutsch Collection/Corbis; p. 9 © Picture Press/Corbis; pp. 10–11 © Bettmann/Corbis; p. 12 © Roger Ressmeyer/Corbis; p. 13 © AFP/Corbis; p. 17 © Robert Maass/Corbis; p. 21 (top) © Reflections Photolibrary/Corbis; p. 21 (bottom left) © Philip James Corwin/Corbis; p. 21 (bottom right) © Paul A. Souders/Corbis

Suen, Anastasia.
    Asociación para la prevención de la crueldad de los animales, ASPCA / por Anastasia Suen ; traducción al español: Spanish Educational Publishing
    p. cm. — (Organizaciones de ayuda)
    Includes bibliographical references and index.
    ISBN 0-8239-6861-8 (lib. bdg.)
    1. American Society for the Prevention of Cruelty to Animals—Juvenile literature. 2. Animal welfare—United States—Juvenile literature. [1. American Society for the Prevention of Cruelty to Animals. 2. Animals—Treatment. 3. Spanish language Materials.] I. Title.

    HV4763 .S84 2001
    179'.3'06073—dc21
                                        2001001120

Manufactured in the United States of America

Contenido

El comienzo de ASPCA

Henry Bergh quería ayudar
a los animales. No le gustaba
que a veces los trataran mal.
En 1866, fundó la Sociedad
Protectora de Animales.

ASPCA es la organización
humanitaria más antigua del país.

Henry Bergh

ASPCA ayuda a los animales de muchos modos. En 1876, inició un servicio de ambulancia para caballos. La ambulancia ayudaba a los caballos heridos.

¡Es un hecho!

La primera ambulancia para las personas no empezó hasta 1878.

Henry Bergh también inventó una correa para sacar caballos de ríos o del lodo.

Clases de ASPCA

En 1916, ASPCA empezó a ofrecer clases para que los niños aprendan a cuidar los animales. ASPCA ha enseñado a niños de todo el país cómo cuidar sus mascotas.

ASPCA también ofrece clases para animales. Estas clases se llaman clases de obediencia. Los perros aprenden a sentarse, a parar o a acercarse cuando se les llama.

Las primeras clases de obediencia
de ASPCA comenzaron en 1944.

Hogares para animales

ASPCA tiene un albergue
para animales en Nueva York.
El albergue le busca hogar
a muchos animales. En 1998,
le encontró hogar a 1,250.

ASPCA y más de 200 grupos buscan hogares para los galgos cuando dejan de correr.

Galgos adoptados en el país

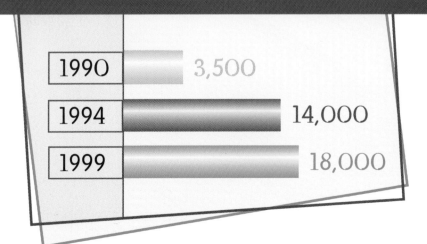

Año	Galgos adoptados
1990	3,500
1994	14,000
1999	18,000

A veces los animales de los albergues no pueden ir a un hogar porque están heridos o enfermos. ASPCA los cuida durante un tiempo. Cuando están mejor, les busca hogar.

15

Un hospital para animales

ASPCA también tiene un hospital para animales en Nueva York. Este hospital atiende unos 30,000 animales cada año.

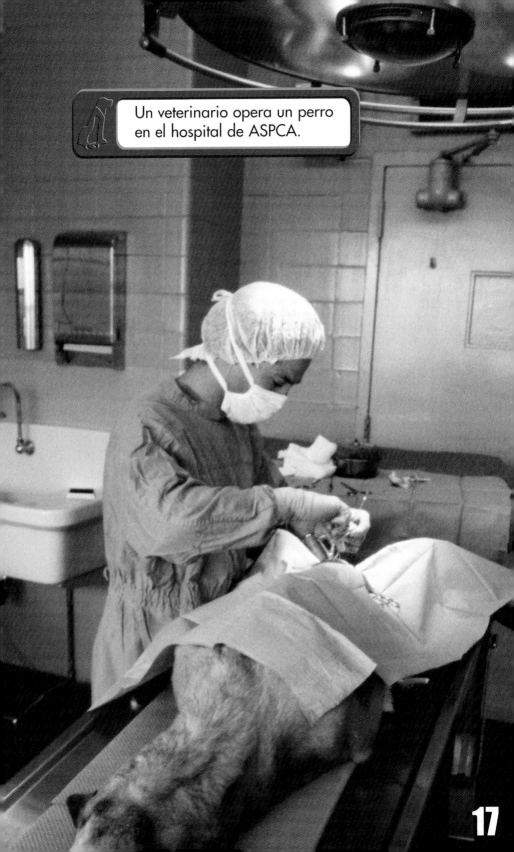

Un veterinario opera un perro en el hospital de ASPCA.

Cuidar la salud de los animales

En ocasiones los animales comen algo que los puede enfermar. ASPCA ayuda a esos animales. Los dueños pueden llamar y pedir ayuda si tienen una emergencia.

¡Es un hecho!

En el año 2000,
ASPCA respondió
a 60,000 llamadas
de ayuda o información.

Esta trabajadora de ASPCA da información a las personas que llaman.

Ahora, los perros, los gatos y otros animales viven más tiempo y mejor que antes. ASPCA trabaja mucho para que los animales de los Estados Unidos tengan salud y protección.

21

Glosario

albergue (el) lugar donde viven animales sin hogar

ambulancia (la) vehículo que transporta personas o animales enfermos

emergencia (la) situación en que se necesita ayuda inmediata

humanitaria (o) que hace el bien

obediencia (la) cumplimiento de órdenes

prevención (la) acción para evitar un daño

veterinario (el) médico para animales

Recursos

Libros

ASPCA Pet Care Guides for Kids: Kitten
Mark Evans
DK Publishing, Inc. (1992)

ASPCA Pet Care Guides for Kids: Puppy
Mark Evans
DK Publishing, Inc. (1992)

Sitios web

Debido a las constantes modificaciones en los sitios de Internet, PowerKids Press ha desarrollado una guía on-line de sitios relacionados al tema de este libro. Nuestro sitio web se actualiza constantemente. Por favor utiliza la siguiente dirección para consultar la lista:

http://www.buenasletraslinks.com/ayuda/aspcasp/

Índice

Número de palabras: 252

Nota para bibliotecarios, maestros y padres de familia

Si leer es un reto, ¡Reading Power en español es la solución! Reading Power es ideal para lectores hispanoparlantes que buscan un nivel de lectura accesible en su propio idioma. Ilustrados con fotografías, estos libros presentan la información de manera atractiva y utilizan un vocabulario sencillo que tiene en cuenta las diferencias lingüísticas entre los lectores hispanos. Relacionando claramente texto con imágenes, los libros de Reading Power dan al lector todo el control. Ahora los lectores cuentan con el poder para obtener la información y la experiencia que necesitan en un ameno formato completamente ¡en español!

Note to Librarians, Teachers, and Parents

If reading is a challenge, Reading Power is a solution! Reading Power is perfect for readers who want high-interest subject matter at an accessible reading level. These fact-filled, photo-illustrated books are designed for readers who want straightforward vocabulary, engaging topics, and a manageable reading experience. With clear picture/text correspondence, leveled Reading Power books put the reader in charge. Now readers have the power to get the information they want and the skills they need in a user-friendly format.